Kazuo Iwamura

Fû, Hana et les pissenlits

l'école des loisirs
11, rue de Sèvres, Paris 6e

« On peut aller jouer dans le pré ? »
ont demandé Fû et Hana à leur maman.
« Oui, mais soyez prudents », a répondu Maman.
« Si quelqu'un vient, cachez-vous dans les herbes
et ne bougez plus. »

Fû et Hana ont couru vers le pré.

Au-dessus de leurs têtes,

le ciel était tout bleu.

Fû a humé l'odeur du pré.

Hana a humé l'odeur du pré.

Le pré était plein de fleurs jaune d'or.

« Wouah ! » a crié Hana en s'arrêtant net. « Que c'est joli ! »

« Bonjour, je m'appelle Hana, ça veut dire "Fleur".
Et toi, comment tu t'appelles ? »

«Tampopo. Ça veut dire "Pissenlit"», a répondu une voix.

«Il y a quelqu'un ! Vite, cachons-nous !» a dit Fû en s'accroupissant sur place.

« Fleur... Quel joli nom ! » a continué la voix.

Et qui a montré sa tête au-dessus du pissenlit ? Une coccinelle !

« Moi, j'aime bien les belles fleurs jaunes du pissenlit », a dit la coccinelle,

et elle s'est mise à tourner sur elle-même en chantant : « Tampopo po po ! »

Alors, un papillon est venu se poser sur le pissenlit.

« Voilà encore quelqu'un ! Vite, cachons-nous ! »

a dit Hana en s'accroupissant elle aussi sur place.

« Moi, j'aime bien le jus sucré du pissenlit », a dit le papillon,

et il s'est mis à battre doucement des ailes en chantant :

« Tampopo po po ! »

Alors, une abeille est venue
se poser sur le pissenlit.
« Voilà encore quelqu'un ! »
ont dit Fû et Hana,
en bougeant seulement les yeux
pour regarder l'abeille.

«Moi, j'aime bien le pollen
du pissenlit», a dit l'abeille,
et elle a disparu à l'intérieur
de la fleur en chantant :
«Tampopo po po !»

« Les fleurs produisent des graines,
qui font naître une nouvelle vie »,
a expliqué la coccinelle.

«Une nouvelle vie?» ont crié Fû et Hana
en se redressant.

La coccinelle, le papillon et l'abeille
se sont mis à chanter en chœur :
« Tampopo po po ! »

Fû et Hana se sont mis à chanter aussi :
« Tampopo po po ! »

Alors, le vent s'est mis à souffler et les graines
se sont dispersées comme de petites plumes.
« Le vent va emporter les graines », a dit la coccinelle.

« Moi, je m'appelle Fû, ça veut dire "Vent" », a dit Fû.
« Quel joli nom ! Le vent transporte la vie »,
a répondu la coccinelle en se remettant à tourner.

Fû a inspiré un grand coup et a soufflé très fort :
« Fffffû ! Je suis le vent, je transporte la vie ! »

Les petites graines duveteuses se sont envolées
vers le ciel en tourbillonnant.

Fû et Hana se sont mis à courir
en chantant : « Tampopo po po po po ! »

« Tampopo po po po ! »
Fû est devenu le vent,
Hana est devenue une graine de fleur.

« Tampopo po po po po ! »
Le chant de Fû et Hana, de la coccinelle, du papillon
et de l'abeille a résonné sur tous les pissenlits du pré.

De retour à la maison, Fû et Hana ont raconté
l'histoire de Tampopo le pissenlit à leur maman.
«Mais oui», a dit Maman. «Fû, tu es le vent plein
de force. Hana, tu es une jolie fleur. Tous les deux,
vous êtes la nouvelle vie qui grandit. Mais pour
bien grandir, il faut aussi dormir. C'est l'heure
de la sieste. Hop, hop, hop, au lit, mes chéris!»

Traduit du japonais par Corinne Atlan

© 2016, l'école des loisirs, Paris, pour l'édition en langue française
© 2011, Kazuo Iwamura
Titre de l'édition originale : « Fû to Hana to Tampopo »
(DOSHINSHA Publishing Co., Ltd., Tokyo)
Édition française publiée en accord avec DOSHINSHA Publishing Co.,
Ltd., Tokyo, et Japan Foreign-Rights Centre
Loi numéro 49 956 du 16 juillet 1949 sur les publications
destinées à la jeunesse : février 2016
Dépôt légal : février 2016
Imprimé en France par Loire Offset Titoulet à Saint-Étienne
ISBN 978-2-211-22765-0